I0586409

Alles klaar? Vertrekken maar!

Frans Lasès

Met illustraties van Sylvia Weve

lannoo

Inhoud

Adriaan

Adriaan zit op de schommel.
Oei! Wat gaat die jongen hoog.
Als hij nu maar niet zal vallen,
’t is ook zó een grote boog.

Kan mijn ogen niet geloven,
want wat doet die Adriaan?
Zát hij net nog op de schommel,
nu is hij erop gaan stáán.

Adriaan raakt in problemen,
want de touwen zijn te glad.
En dan glijdt hij van de schommel,
valt hij keihard op zijn gat.

Maar terwijl hij op de grond ligt
zegt hij lachend tegen mij:
Dat ik er eerder af sprong
hoort er eigenlijk niet bij.

Een twee drie vier

Mijn opa was vroeger een zeekapitein,
hij reisde naar heel verre landen.
Nu bouwt hij een zeilschip, maar dan in het klein
en droomt hij van tropische stranden.

Een twee drie vier – ik word later winkelier.

Mijn oma was vroeger een ster op tv,
ze reed in een knalroze auto.
Haar hondje, een poedel, mocht vaak met haar mee.
Daar staat ze ook mee op een foto.

Een twee drie vier – ik word later nachtportier.

Mijn vader is zanger in een keigoeie band.
Ik vind dat hij super kan zingen.
Vaak brengt hij nummers die iedereen kent
en dan gaat hij er ook nog bij springen.

Een twee drie vier – ik word later vliegenier.

Mijn moeder is mama en tramconducteur.
Het liefste zit zij op lijn zeven.
Die tram heeft een halte bij ons voor de deur,
dus kan ik haar handkusjes geven.

Een twee drie vier – ik word later fietskoerier.

Misschien ook wel dokter of kunstenares,
hoofdcommissaris of herder.
Maar dát komt pas later, want eerst word ik zes
en dáárna zie ik wel verder.

Knip! Knip! Knip!

Mama legt de spullen klaar:
kapperslaken, kam en schaar,
want zij vindt mijn haar te lang.
Hééélp! ik ben bang.

Spuit zij eerst mijn krullen nat.
Gatsiedarrie – koud is dat!
Komt ze met die nare kam.
Au! voorzichtig, mam!

En de schaar doet knip! knip! knip!
Knip! knip! knip!
Knip! knip! knip!
En de schaar doet knip! knip! knip!
Klaar in een wip – jaja!

Waterdruppels langs mijn neus,
ik heb jeuk mam, serieus.
Zit nou stil en hou je mond!
Kijk maar naar de grond.

Kriebelhaartjes in mijn nek,
ik word stapelknettergek.
Mama zegt: als jij niet zeurt
is het zo gebeurd.

Gaat ze weer van knip! knip! knip!
Knip! Knip! Knip!
Knip! Knip! Knip!
Gaat ze weer van knip! knip! knip!
Klaar in een wip – jaja!

O, ik vind dat knippen naar.
Mama ben je eind'lijk klaar?
Nee, ze gaat nog even door
bij mijn linkeroor.

Deed ze maar niet zo haar best.
Waarom altijd dat gepest?
Straks begin ik met de schaar
aan haar eigen haar.

Ander keertje

Papa pap, ik heb een vraag:
zullen we Roodkapje doen?
Dat wil ik echt heel graag.
Ander keertje, schatje,
niet vandaag.

Oh maar pap, dan weet ik wat,
schillen we de aardappels
en maken we patat.
Ander keertje, schatje,
doen we dat.

Weet je pap, dan schmink je mij,
ben ik een echte circusclown,
maak jíj muziek erbij.
Ander keertje, schatje,
wat ik zei.

Of ik wil vandaag een keer
water in mijn opblaasbad;
het is zo'n lekker weer.
Ander keertje, schatje,
zonder meer.
Luister schatje, beste meid,
zoek maar líever even mee,
want mijn bril is weer eens kwijt.
Ander keertje, papa,
'k heb geen tijd.

Masker

Je hebt vandaag een feestje
of je speelt heel graag toneel
met vriendjes en vriendinnen
in een bos of een kasteel.
Doe een masker voor je ogen
en je kunt van alles zijn:
een prins, een boef, Sneeuwwitje
of een zwart gevlekt konijn.

Zet hem op!
Doe hem voor!
Een nieuw gezicht van oor tot oor.

Je pakt een pen of potlood
en een plaatje geel karton.
Je tekent eerst een cirkel
net zo groot als een ballon.
Dan de ogen, mond en neusje
en de stralen eromheen.
Heel voorzichtig knippen
en je ziet de zon meteen.

Zet hem op!
Doe hem voor!
En je straalt van oor tot oor.
Zet hem op!
Doe hem voor!
En je straalt aan één stuk door.

Dat heb ik soms

Soms zit ik ineens te huilen,
het gaat vanzelf, ik weet niet hoe dat kan.
Dan heb ik tranen in mijn ogen,
ik vraag me af: waar komt dat van.

Dat heb ik soms – heel soms.

In mijn buikje heb ik prikkels,
een naar gevoel, misschien is het verdriet.
Alsof een spook mij zit te pesten,
hij ís er wel, maar 'k zíe hem niet.

Dat heb ik soms – heel soms.

Mama vraagt me: waarom huil je?
Zit jou iets dwars, wat is er toch mijn schat?
Maar als ik haar dat kon vertellen,
geloof me maar, dan deed ik dat.

Dat heb ik soms – heel soms.
Wat is dat voor iets stoms!

Godfried mijn goudvis

Ik heb een lieve goudvis,
hij is mijn grote vriend.
Dus heeft hij als geen ander
dit versje wel verdiend.

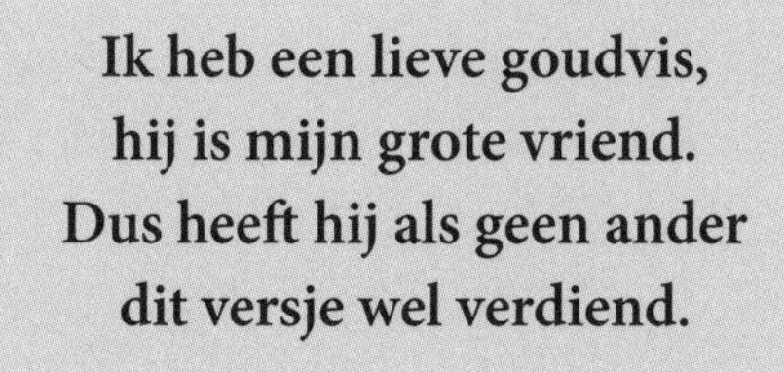

Hij is niet bang voor water,
dat houdt zijn lijfje nat.
Hij kan verdraaid goed zwemmen,
maar heeft nooit les gehad.

Godfried mijn goudvis
die nooit een keertje stout is.

Sluip ik met het visvoer
geruisloos naar zijn kom,
zwemt Godfried al naar boven,
mijn goudvis is niet dom.

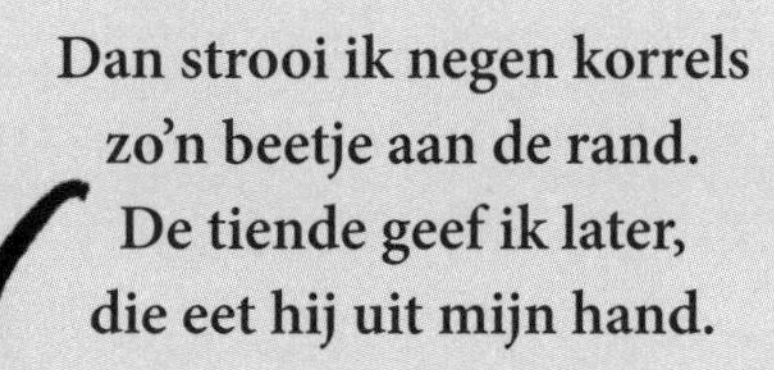

Dan strooi ik negen korrels
zo'n beetje aan de rand.
De tiende geef ik later,
die eet hij uit mijn hand.

Godfried mijn goudvis
die nooit een keertje stout is.

Vanmorgen kwart voor zeven
ligt Godfried op zijn rug.
Ik bel meteen de dokter op:
Kom alsjeblieft heel vlug!

De dokter rent naar Godfried,
maar wordt gelijk witheet.
De rotzak zwemt weer rondjes,
mijn goudvis heeft ons beet.

Mijn vriendje

Mijn vriendje heeft me geslagen
na schooltijd bij hem voor de deur.
Ik dacht dat hij bijna ontplofte,
zijn hoofd had een knalrode kleur.

De hardste en lelijkste woorden,
ze kwamen als gif uit zijn mond.
Hij rukte mij wild aan mijn haren
en gooide mij Beng! op de grond.

Hij gaf nog een dreun op mijn schouder
en kneep mij gemeen in mijn nek.
Ik dacht dat hij niet meer zou stoppen,
mijn vriendje werd helemaal gek.

En weet je waarom hij zo boos was?
Ik zei het gewoon voor de gein
dat we misschien na een poosje
geen hartsvriendjes meer zouden zijn.

Kamperen

Ik ging met mijn mama kamperen,
we kozen voor Bakkum aan zee.
Dat was natuurlijk genieten
in ons tentje zo knus met z'n twee.

De hele dag speelden we buiten,
ook fietsten we vaak naar het strand.
Daar zochten we kostbare schelpen
en bakten we taarten van zand.

We wandelden fijn door de duinen,
gingen telkens pas heel laat naar bed.
Dan lagen we lekker te kletsen,
wat hadden we samen een pret.

Maar toen kwam de regen
de regen – de regen.
We verveelden ons dagenlang dood.
Te nat van de regen
de regen – de regen,
omdat het de hele dag goot.

We haatten de regen
de regen – de regen,
dus wég was mijn blije gezicht.
De plenzende regen
de regen – de regen
en ons tentje was niet waterdicht.

Vanwege de regen
de regen – de regen,
gingen mama en ik terug naar huis.
Maar dankzij die regen
die regen – die regen,
zitten mama en ik fijn weer thuis.

Vlindertje

Goedemorgen vlindertje,
je brengt ons prachtig weer.
Voorzichtig bij de takjes hoor,
je vleugeltjes zijn teer.

Vlinder fladder vlindertje,
je vleugeltjes zijn teer.

Goedemiddag vlindertje,
wat ben je mooi van kleur.
Ik nam voor jou een bloempje mee,
wat vind je van de geur?

Vlinder fladder vlindertje,
wat vind je van de geur?

Goedenavond vlindertje,
gezellig hè, wij twee.
Als ík een keertje vleugels krijg
dan vlieg ik met je mee.

Vlinder fladder vlindertje,
dan vlieg ik met je mee.

Naar de boerderij

Alle kindjes uit groep één,
uitgezwaaid door meester Leen
naar de boerderij,
o wat zijn ze blij.

Roze, paars, geel,
gezellig met zoveel.

Schaapje, kippen, ezel, koe.
Bèh-bèh, tok-tok, ia, boe.
Kalfje Klaartje Vier,
Boris is de stier.

Poesje, varken, hondje blaf.
Mauw-mauw, knor-knor, waf-waf-waf.
In de wei en stal,
dieren overal.

Grijs, zwart, wit,
wát een feest is dit!

Boter, melk en schapenkaas,
eitjes achter kippengaas.
Koren voor het brood,
kikkers in de sloot.

Bruin, blauw, groen,
lekker veel te doen.

Klompen, gras en bergen hooi,
boertje spelen is zo mooi.
Sorry koningin,
leve de boerin!

Tantelief

Ik kreeg een brief van Tantelief
waarin ze vraagt of ik kom logeren
en dan gaat zij mij fietsen leren.

Ik wil erheen, het liefst meteen.
Ik blijf er minstens honderd nachten,
ik kan bijna niet meer wachten.

Ik pak mijn jas en ook een tas
voor mijn kleren en mijn spullen
en wat lekkers om te smullen.

Alles klaar, vertrekken maar.
Maar dan begin ik plots te beven
en ik moet haast overgeven.

Mijn buik doet zeer, gaat flink te keer,
’k voel me helemaal niet lekker.
Ik moet huilen, ’t kan niet gekker.

Dat is niet pluis, blijf dan maar thuis.
Papa zal wel even bellen
om het tante te vertellen.

Een diepe zucht, ik krijg weer lucht.
Moet je zien hoe goed ik tover,
die nare buikpijn is weer over.

www.lannoo.com/kindenjeugd

Illustraties Sylvia Weve
Vormgeving Keppie & Keppie

D/2008/45/439 - NUR 275 - ISBN 978 90 209 7997 8